KB103439

셀 수 없는 것들의 단위

셀 수 없는 것들의 단위

발 행 | 2024년 07월 12일
저 자 | 이제향
펴낸이 | 한건희
펴낸곳 | 주식회사 부크크
출판사등록 | 2014.07.15 (제2014-16호)
주 소 | 서울특별시 금천구 가산디지털1로 119 SK트윈타워 A동 305호
전 화 | 1670-8316
이메일 | info@bookk.co.kr

ISBN | 979-11-410-9493-5

www.bookk.co.kr

셀 수 없는 것들의 단위

이 제 향　시 집

시인의 말

세상 모든 것에는 세는 단위가 있다
눈에 보이든 보이지 않든

이 글을 읽는 모두가
우리 주변의 보이지 않는 소중한 것들을
헤아려 볼 수 있게 되기를

2024년 7월
이제향

차례

일상日常

이상理想

세상世上

일상日常

가방

무거운 어깨의 이유
책 아닌 책임을 느끼네

무거운 가방을 들던 시절
지금의 어깨는 그때보다 가벼운가

가벼운 가방을 멘 무거운 어깨로
또다시 오늘을 나아간다

용기

다른 이에 의해 채워지고
다른 이를 위해 비워지는 용기

채워짐에 감사하고
비워질 때 가치 있는 용기

가득차도 언제든지
바닥까지 비워질 수 있는 용기

나는 오늘도
나를 비운다

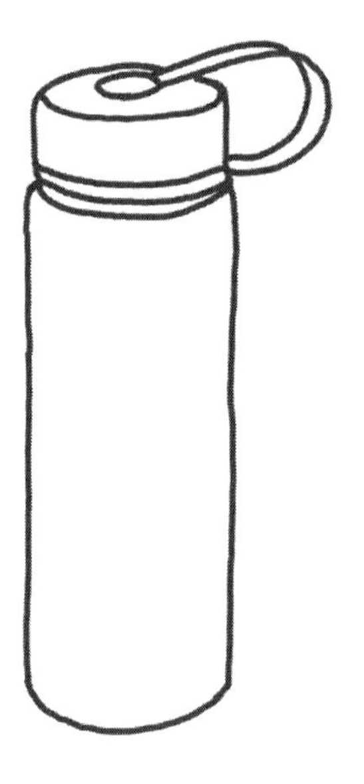

신발 끈

인생이란 신발 끈이 풀린 줄 알면서도
멈춰 설 수 없는 것과 같다

걸려 넘어질 듯 아슬아슬한 줄타기를
이어가고 있지만
걸음을 멈추고 주저앉는 순간 뒤처져
다시 일어나 걷기 힘듦을 알기에

그러나 한편으론
나를 멈춰 세워줄 신호등을 간절히 바라고 있다

구두의 마음

해운대 백사장 위 구두 한 켤레
긴장과 초조함으로 배부른 그는
모래의 감칠맛을 느낄 수 없었다

해운대 백사장 위 슬리퍼 한 켤레
더부룩한 속을 모두 게워낸 그는
마침내 그 맛을 품을 수 있었다

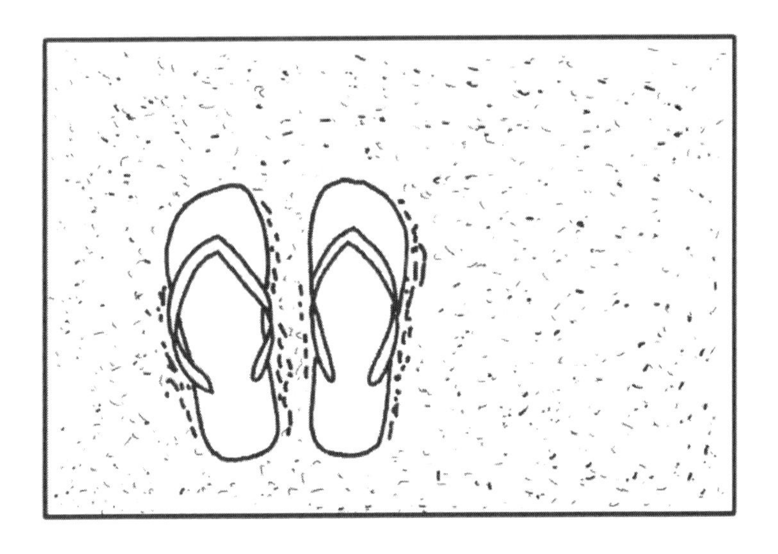

고집쟁이 아이들

얘들아 간식 먹을 시간이란다

나는 과자만 먹을래
나는 캔 콜라만 먹어
나는 생수만 먹을 거야

아이구 잘 먹네 기특하구나

얘들아 오늘은 뭐 하고 놀까

나는 종이접기만 할래
나는 구슬치기만 해
나는 깡통차기만 할 거야

아이구 잘 노네 기특하구나

그대, 커피

오, 그대를 처음 만난 날
내겐 너무 버거웠어요
가슴이 두근거려 잠 못 이루었죠

오, 그대는 내게
한 여름의 오아시스이자
추운 겨울의 손난로였어요

분주한 아침에도
노곤한 점심시간에도
여유로운 주말 오후에도
언제나 그대와 함께였죠

오, 그대와 함께 한 모든 순간이,
행복하고 슬프던 모든 순간이
세상의 단맛 쓴맛을 알려줬어요

오, 이젠 그대를 떠나보내야 하네요
은은하게 느껴지는 그대의 향기는
추억으로 간직할게요

오, 그대 없이는 두근거릴 수 없지만,
오늘도 그대가 생각나는 하루지만
참아볼게요

빵이 좋다

식빵이 좋다
부드럽고 담백하여 매일 봐도 질리지 않는
네가 좋다

케익이 좋다
달콤하고 매력 있어 특별한 날 생각나는
네가 좋다

고로케가 좋다
겉모습은 까칠해도 속은 한없이 깊은
네가 좋다

초코머핀이 좋다
기쁠 때나 우울할 때나 내 마음을 사로잡는
네가 좋다

크림빵이 좋다
행복했던 추억을 떠올리게 하는
네가 좋다

바게트가 좋다
마카롱이 좋다
와플이 좋다
샌드위치가 좋다

빵을 닮은
네가 좋다

찰칵!

찰칵 찰칵
카메라의 셔터가 닫히는 순간

찰칵 찰칵
잠겨있던 마음의 자물쇠가 열리는 순간

찰칵 찰칵
앞 유리의 얼룩이 걷히는 순간

찰칵 찰칵
키보드에 내 마음을 적어내는 순간

서로 다른 무언가가

닿았다가 떨어지는 찰나의 순간들이 모여

서로 다른 너와 내가

영원히 간직할 추억의 형태가 된다

3...2...1

찰칵!

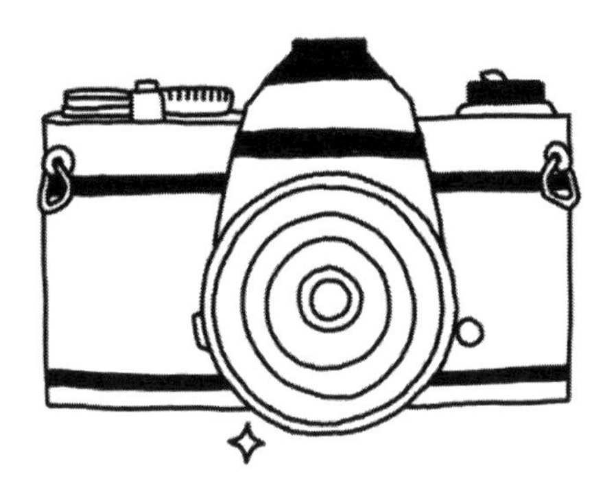

이상理想

아름다움의 이유

그대는 아는가
꽃이 아름다운 이유가
이겨낸 겨울에 있음을

그대는 아는가
생명이 아름다운 이유가
사랑과 고통에 있음을

그대는 아는가
만남이 아름다운 이유가
이별의 슬픔에 있음을

그대는 믿는가
내일이 아름다운 이유가
지금 이 순간에 있음을

내비게이션

이리 가라 저리 가라
재촉하는 목소리
이랬다가 저랬다가
변덕스런 잔소리

가끔씩은 반항하여
나의 길을 가려 하지만
결국은 깨닫는다
가장 옳은 길은 너였음을

어지런 도심 속에서도
깜깜한 터널 안에서도
복잡한 교차로와 거친 산길에서도

알 수 없는 이 길의 끝에 별이 있음을 아는 것은
바로 너를 향한 나의 믿음

오늘도 나는 너를 따라
한계를 넘어 설레는 길로
오늘도 나는 너와 함께
익숙함을 떠나 새로움을 향해

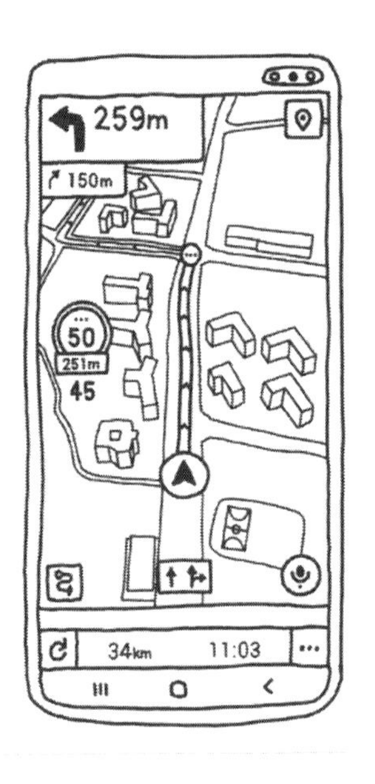

꽃 꺾는 이는 씨 뿌린 이를 알지 못한다

꽃 꺾는 이는 씨 뿌린 이를 알지 못한다

한 번의 손짓으로 꺾일
한 조각 아름다움을 위하여
얼마큼의 손길이 필요한지
알지 못한다

한 송이 꽃이 피어나기 위하여
한 줌의 흙과 열 잔의 물
백 날의 볕과 천 번의 사랑이 필요함을
알지 못한다

꽃잎의 진한 붉은색은 흘린 피의 색깔임을
풀잎 위 반짝이는 이슬은 땀과 눈물의 빛깔임을
알지 못한다

꽃 꺾는 이는 씨 뿌린 이를 알지 못한다

뿌리째 뽑아본 후에야

이 꽃의 아름다움은
진짜일까 가짜일까

이 잎사귀의 싱그러움은
진짜일까 가짜일까

이 향기의 달콤함은
진짜일까 가짜일까

뿌리째 뽑아본 후에야,
텅 비어버린 마음을 발견한 후에야
마침내 알게 된다

마음 밭에 깊이 뿌리내린
진짜였음을

셀 수 없는 것들의 단위

감사의 높이
기쁨의 세기
슬픔의 무게
외로움의 깊이

어느 것 하나 정확히 측정할 순 없지만
어느 곳에나 명확히 존재하는 단위

사랑의 온도
믿음의 확률
용기의 크기
그리움의 개수

모든 것을 완벽히 표현할 순 없지만
모든 곳에 분명히 실재하는 단위

어제의 속력

오늘의 길이

내일의 밝기

당신의 가치

누구도 함부로 정의하지 못하지만

누구든 맘대로 만들어 나갈 수 있는

셀 수 없는 것들의 단위

숭고한 단념

절대 하기 싫은 일을 시도하는 용기보다
간절히 원하는 일을 포기하는 용기가 더욱 크다

엑셀보다 브레이크의 충격이 더 강하고
나아가기보다 멈춰 서기가 힘들다

메마른 마음에 열정의 불을 지피는 것보다
타오르는 마음을 눈물로써 적셔 끄는 것이
더욱 고통스럽다

보기 싫은 사람과 함께 있는 괴로움보다
보고 싶은 사람과 함께하지 못하는 슬픔이 더욱 크다

언제나 복수보다 용서가 어렵고
집념보다 단념이 더욱 숭고하다

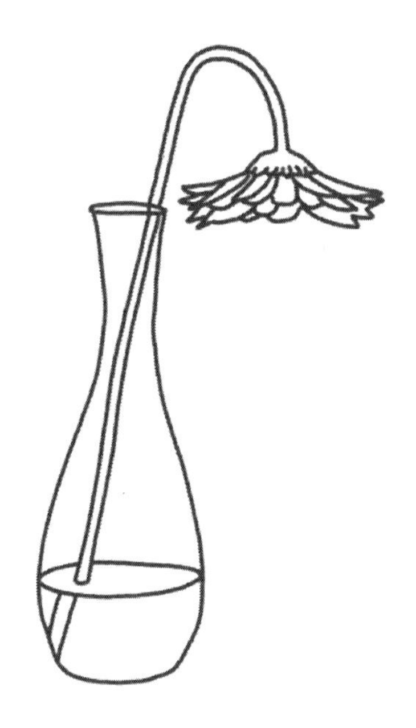

엉킨 끈

부모와 자식 사이
아내와 남편 사이
엉키고 꼬여버려
풀 수 없을 것만 같은 끈

회사와 직원 사이
친구와 친구 사이
섞이고 묶여버려
자르는 게 편할 것 같은 끈

한 땀 한 땀 매듭을 풀어내고
한 번 두 번 엉킨 끈을 바로잡는 건
어렵고 부담스런 선택
괴롭고 고통스런 좁은 문

그러나
넓은 문의 유혹을 참지 못해 잘라버린 최후는
다시는 쓸 수 없는 잘려나간 끈 쪼가리뿐

지금
눈앞에 보인 건 엉켜버린 끈
손 위에 들린 건 매력적인 가위
문 뒤에 남는 건,

세상世上

봄

네가 온다
오는 듯 안 오는 듯 네가 온다

기나긴 겨울의 석양이 지고
찬란한 계절의 아침해가 뜰 때
뒷산의 벚나무가 분홍빛 물들고
운동장의 잔디가 고개를 들 때

네가 온다
오는 줄도 모르게 네가 온다

너를 기다린 건
추웠던 겨울 때문일까
한 줌의 꽃향기 때문일까
아니면 한층 더 자라있을 나 자신 때문일까

무거운 가슴과

더 무거운 어깨를 활짝 편 나에게

네가 온다

조금 더 선명하게 네가 온다

그의 그늘

어릴 적 우리 집에는 큰 나무 한 그루가 있었다
뜨거운 햇빛도 차가운 비바람도
그의 그늘을 넘보진 못했다

여름이 되었을 때 나는 그늘 밖으로 나가고 싶어졌다
그러나 오래지 않아 돌아온 지친 나에게
그의 그늘은 여전히 넓었다

가을이 되었을 때 나는 더 이상 그 집에 살지 않았다
그 때문인지 그의 무성한 가지와 잎은
조금씩 시들어갔다

겨울이 되었을 때 나는 문득 그가 생각났다
오랜 시간이 지나 다시 찾은 그에게
예전과 같은 그늘은 없었다

그러나 상관없지 않은가

지금 내게 필요한 것은 그늘이 아니라

무거운 등짐을 기대일 한 뼘의 아늑함이니

까치설날

오늘은 까치설날

처음 거울을 본 까치는 조금 놀랐다
갸우뚱
갸우뚱

자신을 닮은 까치에게
조심스러운 인사를 건넨다
깍 깍
깍 깍

다가가면 다가오고
물러나면 물러가는
까치 두 마리

이날을 위한 듯
어색한 색동옷 입은

오늘은 까치들 설날

시인詩人의 시時

2002년 5월 2일
평생에 단 하루뿐인 그 時에
詩와 함께 태어난 당신

당신이 처음 울던 그 時가 자라나
나는 당신의 詩에 눈물 흘립니다

모두가 기뻐하던 그 時가 자라나
나는 당신의 詩에 기뻐합니다

2021년 5월 2일
평생에 단 하루뿐인 이 時에
세상에 단 하나뿐인 이 詩를
당신에게 드립니다

생일 축하합니다

잃어버린 것들에 대하여

우리의 이별의 이유는
당신의 무관심 인지
나의 무능력함 인지

한없이 슬퍼지는 이유는
낯선 이곳 때문인지
다시 만날 수 없는 현실 때문인지

유한한 삶 속의 영원한 기다림
자그마한 어둠 속 끝없는 침묵
찰나의 기다림 끝의 찬란한 재회를 꿈꾸며
오늘도 이곳에서 그리움을 세어봅니다

모두가 나를 잊는다 해도
언젠가 당신도 날 잊는다 해도
언제나 이곳에서 당신을 기다려요

언젠가 우리가 다시 만날 때
익숙한 나의 모습이
당신에게 새로운 기쁨이 되길 바라요

하고픈 이야기를 가득 담고
보고픈 이 마음을 끌어안아
다시 만날 그날을 기다리며
오늘도 이곳에서 그리움을 세어봅니다

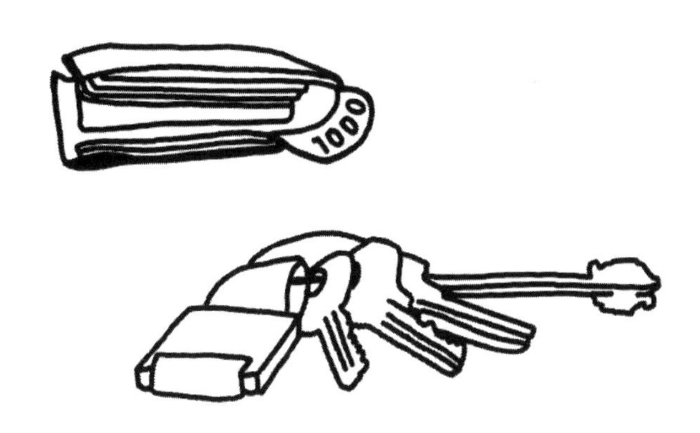

영원한 짝사랑

당신을 처음 만났을 때
나는 첫눈에 반했어요
당신을 영원히 사랑하리라 맹세했어요

당신의 얼굴을 바라볼 때면
세상에 없는 기쁨을 느끼고
당신의 온기를 느끼며 잠들 때면
세상을 전부 품에 안은 듯해요

당신이 내게 다가와 줬을 때
내 마음은 하늘을 날았고
당신이 나를 불러줬을 때
내 심장은 녹아내렸어요

당신의 몸짓은 내 눈을 홀리고
당신의 목소리는 내 귀를 간질여요
당신의 손끝이 내 세상을 그리고
당신의 눈 속에는 나만의 우주가 있죠

언젠가 당신이 나를 떠날 때에도
나의 짝사랑은 그 끝을 모르겠죠
유한한 세상 속의 유일한 영원함으로
당신을 사랑합니다

우리 아가

뫼비우스의 여행자

부우웅
앞 차는 생각한다
어휴 저렇게 천천히 가는 게
오히려 피해 주는 거라니까

부우웅
뒤 차는 생각한다
쯧쯧 저렇게 빨리 가려다가
먼저 가는 법이라니까

빵 빵
앞 차는 말한다
양보 좀 해주면 안 되나
그런다고 얼마나 늦게 간다고

빵 빵
뒤 차는 말한다
여기서 끼어들 생각을 하네
그런다고 얼마나 빨리 간다고

끼이익
앞 차는 소리친다
갑자기 튀어나오면 어떡해
사고 나려고 작정했나

끼이익
뒤 차는 소리친다
갑자기 멈추면 어떡해
사고 내려고 작정했나

때로는 앞서가고
때로는 뒤따르는
우로보로스의 저주에 빠진
뫼비우스의 여행자들

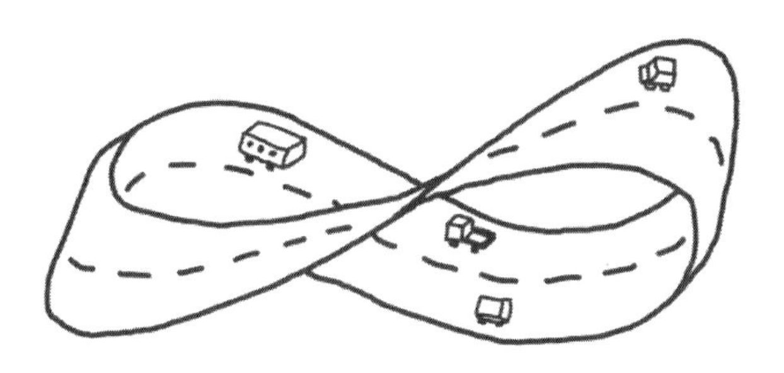

딱 한 걸음

그거 아세요?
당신과 등지고 있는 사람은
당신과 정반대의 세상을 보고 있다는 걸

그거 아세요?
당신과 마주 보고 있는 사람 역시
당신과 정반대의 세상을 보고 있다는 걸

딱 한 가지 차이는
각자가 바라보는 전혀 다른 세상 속에
서로가 존재한다는 것

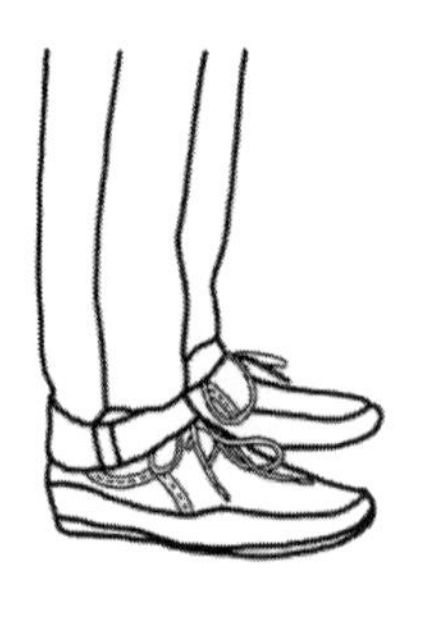

그거 아세요?
당신이 마주 보고 있는 사람은
한 걸음만 욕심부리면 등지게 된다는 걸

그거 아세요?
당신이 등지고 있는 사람 역시
한 걸음만 물러나면 마주 보게 된다는 걸

딱 한 걸음 차이가
그 작은 걸음이
서로의 세상을 완전히 바꾸는 것